en Contes

Éditions
Philippe Picquier

Mas de Vert
B.P. 150
13631 Arles cedex

Illustrations intérieures : D.R.

En couverture : *Poule et poussins*, artiste anonyme
© Musée du Palais, Taipei

Conception graphique de la couverture : Picquier & Protière

ISBN : 2-87730-759-X

ÉDITION HORS COMMERCE

Introduction

Nous avons, nous Français, une relation étrange avec le coq, liés que nous sommes par une étymologie qui ne peut se dénouer. Car si *gallus* veut dire coq, *gallus* se traduit aussi par gaulois. Qui dit coq dit gaulois, mais tout gaulois – si l'on se fie à l'étymologie – serait donc aussi un coq. Le syntagme est si violent qu'il a fabriqué une expression pléonastique, « le coq gaulois ». Il serait donc impossible de dissocier le coq du gaulois et le gaulois du coq, au point qu'aujourd'hui encore les supporteurs de l'équipe des Bleus ne partent jamais pour l'étranger sans un *coq gaulois* qu'ils emblématisent dans les tribunes des stades.

Le gonfalon n'est pourtant pas glorieux. Là où les Anglais dressent sur leurs étendards un léopard ou un lion et les héritiers des empereurs germaniques un aigle à une ou deux têtes, nous nous avançons – selon le mot de Napoléon Ier – sous la figure d'« un oiseau qui chante sur le fumier ». C'est bien cette vision que procurent les innombrables « miroirs » du Moyen Age: le coq y apparaît en « bête » qui passe sa vie à batailler pour régenter et posséder ses poules. Du coup, il est la figure de la luxure. Fanfaron et sot, il est dans les fabliaux la victime du renard. C'est cette vision populaire du coq que met en scène le *Chantecler*c d'Edmond Rostand : le coq affirme que c'est lui qui fait lever le soleil ; mais un jour qu'il est fasciné par une belle faisane, il oublie de chanter. A la risée de tous, le soleil se lève quand même.

La langue n'a de cesse de *coquoriquer* le coq et ses travers. Ces dérivés montrent comment le mot – et donc la bête – ont fonctionné dans une société : si *coquart* est d'abord un vieux coq, il s'utilise familièrement pour dire un fanfaron ou un benêt. Un *coquâtre*, c'est un demi-chapon, mais aussi un homme qui chante comme s'il avait été châtré ; un *coquebin* ou un *coquebert*, un niais ou un sot. *Coqueliner*, c'est chanter en parlant du coq, mais un *coquelineux*, c'est un homme qui court après les jeunes filles en faisant précisément le coq. *Coqueter*, c'est se pavaner ainsi qu'un coq au milieu de ses poules. *Coquette* surgit avant le masculin pour désigner une femme bavarde puis une commère polissonne. *Coquet* – qui, à l'origine, désignait une « girouette » – a fini par dénommer un homme qui cherche à séduire. Peut-être *coquin* – et ses dérivés : *coquiner*, *s'acoquiner*, *coquinet* – viennent-ils du coq. Faire le *coquinant*, c'est mendier. *Coqueter* ou *coqueriquer*, c'est caqueter. Inventé semble-t-il par Rabelais, *coquecigrue* détermine un être relevant du seul imaginaire : pronostiquer un événement « à la venue des coquecigrues », c'est dire qu'il n'arrivera jamais. Un *coquefredouille*, c'est un fat embéguiné, note Bescherelle. Mais un *coqueplumet* détermine un homme qui fait le coq – un fier-à-bas – qui, avec son costume éclatant, bat le pavé en portant panache. D'autres mots, morts, rapportent du passé des faits de société oubliés. Ainsi, un *coqueleux* était un homme qui dressait l'animal pour des combats... de coqs. D'innombrables expressions durciront encore cette vision péjorative du coq, dont certaines aujourd'hui restent mystérieuses. Ainsi, que signifie exactement « sauter du coq à l'âne » ? Propos rompu, dit Furetière, dont la suite n'a aucun rapport au commencement comme si quelqu'un au lieu de suivre un discours qu'il aurait commencé de son coq parlait soudain de son âne dont il n'était point question. Wartburg, un autre étymologiste, signale au XIVe siècle une expression plus graveleuse : « saillir du coq en l'âne ». Mais l'âne, dit un autre, a désigné jusqu'à la fin du XIIIe siècle la cane. « Il s'agirait alors, note Claude Duneton, du rapport incongru d'un coq à une cane », si l'on veut bien se rappeler que le sens premier de « sauter » – et aujourd'hui encore – signifie « couvrir une femelle ». D'autres expressions se déploient dans la même aire : ainsi « un coq », et plus encore « un coq de village », est un homme qui se donne des airs d'importance et qui assure sur les femelles d'alentour sa virile domination. Se retrouver comme un coq en pâte – en fait un coq qu'on empâte, donc qu'on engraisse –, c'est être bien traité, douillettement, par ses femmes.

C'est, curieusement, de l'étranger que la figure du coq a sans doute été imposée comme emblème des Français. Un texte anglais avance l'hypothèse que si le coq est le symbole de la Gaule, c'est pour rendre compte de l'effroyable sottise de ses habitants. Au cours de la guerre de Cent Ans, les mêmes Anglais n'auront que mépris pour cet oiseau dont le léopard normand ne fait qu'une bouchée et, lors des guerres d'Italie, les impériaux à leur tour se moqueront de ce coq qui fuit piteusement devant l'aigle souverain.

La figure n'était pas facile à redorer. Aussi, ce n'est pas sans peine qu'il a fallu inventer à cet oiseau-là des significations flatteuses qu'il ne possédait pas. Pour y parvenir, on emprunta deux routes. A la Renaissance, on se mit à redécouvrir la civilisation gauloise. Du coup, sur cette première route, revint le coq. Par bonheur, il était prestigieux : une bague, découverte à Lyon, montrait un coq sur un char que traînaient deux lions. On fit la lecture suivante : le bijou, reconnu gaulois, annonçait la victoire du roi de France sur le lion vénitien. De nombreux manuscrits qui sont dédiés à François Ier sont blasonnés par des coqs blancs qui foulent aux pieds le lion de Saint-Marc. La symbolisation positive avait exigé un coq blanc. Celui-ci revenait par la seconde route, celle de l'Antiquité. Selon les traditions helléniques, un dieu de la Crète, nommé Velchanos, ayant pour attribut un coq, se serait assimilé à Zeus. On retrouve ce coq auprès de Léto accouchant d'Apollon et d'Artémis. Zeus aurait ainsi veillé à la naissance de ses enfants. Le coq blanc est lié aux deux grands luminaires, le brûlant soleil et la froide lune. Comme le note Colette Beaume dans *Les Manuscrits des rois de France au Moyen Age*, déjà, vers 1495, un livre dédié à Charles VIII « s'ouvre sur une page de garde où deux coqs blancs soutiennent l'écu de France et foulent aux pieds un serpent et un renard. Trois prophéties y sont insérées : dans la première, le coq royal s'empare des empires occidental et oriental pour régner sur le monde enfin converti. Dans la seconde, le coq blanc sauve la nef de saint Pierre et la conduit au port du salut. Dans la troisième, le coq blanc de la fin des temps rétablit partout joie, abondance et vraie paix. Un amusant chapitre de la nature du coq s'insère entre un portrait du roi Charles et un article sur les lys, c'est-à-dire entre la personne réelle du roi et sa personne fictive. Le coq est le signe de l'élection du roi et de la nation, destinés tous deux à régner sur le monde entier à la fin des temps. Cette interprétation, mêlant toutes les traditions antérieures, donnait enfin à l'emblème des sens hautement favorables. »

Héros du jour et du soleil par son lien avec Apollon, le coq est aussi lié au fils du divin archer, Esculape, dieu de la médecine. Pour cela, il est sacrifié à ce dieu qui, par son art, opérait des résurrections préfigurant les renaissances célestes. Psychopompe, le coq passe dans l'autre monde pour y annoncer la venue du défunt et y conduire son âme. Du coup, il s'acoquine à Hermès, chargé chez les dieux du transport des morts dans le monde infernal. Chez certains peuples altaïques, un coq attaché au lit funèbre est censé représenter le mort. Lorsque le chaman procède aux purifications et à l'expulsion des esprits de la maison funèbre, il en chasse le coq. Est-ce en raison de sa crête ardente et de ses plumes flamboyantes qu'il est, dans de nombreuses civilisations, apparenté au feu et au soleil ? Ainsi chez les indiens Pueblos, on prétend que les poulets sont des créatures du dieu soleil. Le chant des coqs au petit jour scande le temps. Le soleil les a installés à ce poste-là pour réveiller les hommes.

C'est presque la même histoire qui se raconte en terre d'Islam. On y assure que chaque matin, au lever de l'astre, un coq gigantesque à la robe aussi blanche que la neige de l'Atlas se dresse sur ses ergots aux portes du paradis et lance vers le ciel ses louanges à Allah. Au même instant, en écho du chant céleste, tous les coqs des basses-cours humaines entonnent leur cri du matin. Le prophète d'ailleurs aurait dit : « Le coq blanc est mon ami ; il est l'ennemi de l'ennemi de Dieu ; il garde la maison de son maître et sept autres maisons. » Un autre « dit » de Mohamed rapporte : « Lorsque vous entendez le chant du coq, demandez une grâce à Dieu, car il a vu un ange. » Le coq, familier du prophète, jouit dans le monde musulman d'une vénération sans égale par rapport aux autres animaux. Il y est défendu de maudire le coq qui réveille pour la prière. Toutefois, une veine populaire qui sourd dans les *Mille et Une Nuits* montre que le volatile jouait aussi un rôle assez proche de celui qu'il tient dans certains fabliaux gaillards du Moyen Age occidental : faire le métier du coq pour un galant, c'est manger, boire et copuler.

La mythologie nordique confiera à la créature solaire un rôle de gardien. C'est ainsi que, chez les Germains, le coq à la crête d'or garde le mont de l'Arc-en-ciel, barrière qui mène au domaine des dieux. Il est perché au faîte du frêne Yggdrasil et surveille l'horizon pour avertir les dieux de l'arrivée de leurs ennemis, les géants. L'image est renforcée, car le frêne – arbre primordial en cette civilisation – est, comme le soleil, la source de toute vie. Est-ce de cette bête mythique que revient, à travers Pouchkine, l'opéra de Rimski-Korsakov, *Le Coq d'or* ? Un astrologue remet au tsar de toutes les Russies un coq d'or qui doit veiller sur le royaume et avertir, par son cri, de l'arrivée de l'ennemi. Mais, en retour, l'astrologue exige du tsar qu'il accèdera, le moment venu, au vœu qu'il formulera. Le coq chante par trois fois. Les deux premières fois, le tsar envoie ses fils au combat. Au troisième chant, il s'y rend en personne pour apprendre d'une femme merveilleuse, la tsarine de Chemaka, que son armée est défaite et que ses fils se sont entretués dans un combat dont elle était l'enjeu. Le tsar l'épouse aussitôt et rentre dans sa capitale. C'est alors que l'astrologue exige que son vœu soit exaucé : Chemaka doit devenir sa femme. De rage, le tsar tue l'astrologue, mais aussitôt le coq d'or met le tsar à mort avant de s'envoler, accompagné de la tsarine.

Ce coq dressé sur le faîte du monde, on le retrouvera dans l'Occident chrétien sur les flèches des clochers. Il revient du Nouveau Testament : avant d'être arrêté, le Christ avertit son apôtre Pierre qu'il l'aura renié par trois fois avant que le coq ne chante. La bête devient le symbole de la vigilance face aux tentations de la nuit. Du coup, le coq étendit son plumage sur les structures de la société moyenâgeuse : les moines étaient des coqs vigilants qui chantaient la venue du Christ, symbole de vie et de lumière éternelle, au cœur des ténèbres. Christianisé, ce coq récupère les vieux mythes de l'Occident et sa fonction solaire. D'être en vigie sur les clochers de toutes les églises, sa présence devint si obsédante que le pouvoir politique lui-même s'en empara : la naissance de Louis XIII fut commémorée par une médaille sur laquelle était gravé un coq. La Révolution française reproduisit l'image du volatile sur ses assignats. Les Républiques de 1792 et de 1848, comme la Monarchie de 1830, le perchèrent sur le drapeau français. Sous la IIIe République, il ornera le revers des pièces d'or frappées à partir de 1899. Ainsi s'effaça définitivement l'image négative du coq. La Fontaine déjà avait contribué à ce blanchiment de l'oiseau de basse-cour. D'un coq perché sur un arbre, il avait fait la figure renversée du corbeau. De trompé, il était devenu le rusé et le sage, renvoyant le renard le ventre vide.

Les contes populaires ne dérogent pas aux fonctions attribuées au coq. Son chant, dans la fable, en fait une sentinelle de l'aube qui met en fuite les esprits errant dans la ténèbre. C'est lui, encore, qui met à mal le sabbat des sorcières et qui anéantit les trolls maléfiques. Bien évidemment, il s'agit du coq à robe blanche, car celui qui arbore un plumage noir appartient au diable comme sa commère, la poule noire. Celle-ci hante de nombreux récits du folklore. On ne la tenait que de Satan, en se rendant, disaient les vieux en Limousin, à une certaine croisée de chemins pendant la nuit la plus noire. Elle se nomme, selon eux, Mandegôro. Celui qui la possède doit chaque matin lui faire cadeau d'un étui d'argent, celui-là même qu'il faut offrir aux marraines-fées lors de la scène des dons. En échange, elle pond un œuf d'or. Cette poule noire livre une face nocturne du coq, car le Moyen Age avait imaginé qu'il était en mesure d'accoucher de monstres. Ce soupçon s'origine peut-être dans l'étrange association du coq et du serpent du bestiaire d'Esculape. Aussi, lorsqu'un crapaud se mettait à couver pendant neuf ans un œuf de coq âgé de sept ans, il en sortait un être hybride, qui bestialise un chapiteau de Vézelay. Sur un corps écailleux de serpent, le basilic arbore des ailes – terminées par des griffes – et une tête de coq. Les *miroirs* de l'époque appelaient cet œuf d'où était sorti le monstre *cocatrix* ou *cocatric*. La bête est ambiguë. Si, dans l'Antiquité, les Romains prétendaient que son sang guérissait certaines maladies et qu'il « désenvoûtait », le Moyen Age en fit une bête maléfique : son souffle faisait périr tout être animé, et son œil, qui jetait du venin, pétrifiait – comme la Gorgone – celui qu'il regardait. On le dit voyageant sous la terre, à l'insu de tous, quêtant quelque eau dormante, pour y loger ses enfants. Est-ce de là que vient l'angoisse des mares, qui sont toujours des mares au diable, car s'y niche le basilic ? Le chant du coq le fait fuir, mais pour quelque temps seulement. Seule, parmi tous les animaux, la belette peut en avoir raison, mais un miroir le pétrifie. La Geste d'Alexandre le savait qui rapporte que ce dernier aurait fait dresser, dans les Indes mystérieuses, un immense miroir pour y empierrer tous les basilics. Mais le monstre est tenace et, même mort, on le redoute, car, au bout de sept ans, il renaît, tel le phénix. Lorsqu'il a vécu sept ans, le basilic devient dragon et s'envole pour Babylone, répandant d'innombrables maux dans son sillage.

Selon une légende chinoise, il y avait à l'est une montagne appelée Fushang. A son sommet, vivaient des coqs. Lorsque le jour effaçait la nuit, le coq de jade, le premier, chantait la victoire de la lumière. Puis c'était au tour du coq d'or de lancer son cri, suivi par celui du coq de pierre. Alors tous les coqs sous le ciel se mettaient à chanter, se répondant les uns les autres. Une autre version prétend que c'est sur une montage appelée Taodu, au sud-est de la Chine, que poussait un arbre gigantesque dont la ramure mesure mille cinq cents kilomètres de circonférence. C'est sur cet arbre fabuleux qu'était perché le coq céleste qui saluait la montée du jour. Ces légendes rappellent étrangement certains mythes occidentaux. Dans l'Empire du Milieu, le coq est donc lui aussi lié au soleil, au point que des textes anciens parlent d'un oiseau à trois pattes qui vivrait au cœur même de l'astre. Cet oiseau serait un coq. Ailleurs, comme au Laos, le coq est associé à la fille même du soleil. Quand il chante trois fois, celle-ci apparaît. Et, dans le rituel qui préside à l'ensevelissement du mort, c'est au coq que l'on confie la tâche d'emmener le défunt retrouver ses ancêtres. Il est le symbole du levant, parce que, au matin, il se perche sur un arbre, mais il rappelle encore la naissance de l'univers dans la tradition chinoise, car c'est par lui que fut – disent ces récits – déposé l'œuf primordial d'où sont issus les mondes.

En Chine, le coq devient ainsi l'emblème des cinq vertus fondamentales : la crête, signe d'élégance, lui confère un aspect mandarinal ; ses deux pattes aptes au combat en font le dépositaire des vertus militaires et tout spécialement du courage ; cherchant la nourriture pour sa femelle, il est reconnu tout à la fois comme indéfectible dans sa fidélité, et bon ; parce qu'il annonce le jour sans défaillance, il est tenu pour un être sûr, sur lequel on peut compter, qui écarte les néfastes ténèbres en rendant le jour au jour. On le plaçait par conséquent en effigie à la porte des maisons comme signe tutélaire. D'après une symbolique fondée sur un jeu de mots dans la langue, le coq se révèle être tout à la fois un « serviteur », mais un serviteur « promis à la gloire ». Aussi offrait-on aux employés de l'Etat un coq à crête particulièrement grande, paradigme de leur future carrière. Il est vrai que le caractère (*ki*) qui désigne en chinois le coq est homophone de celui qui signifie « de bon augure ». C'est pour toutes ces raisons que le coq, animal noble, a été retenu – avec quelques autres – pour le rituel. Lors des cérémonies de la nouvelle année, les exorcistes écartèlent et enfouissent des coqs et des béliers accompagnés de libations. De même, pour obtenir la pluie, on brûlait des porcs et des coqs de trois ans. Au Vietnam, la patte de coq bouillie est une image en réduction du monde. On l'utilise pour la divination. Dans le traité *De la connaissance universelle des êtres*, Maître Lu prétend que si l'on enduit une plaie avec une herbe et des intestins de coq pilés en bouillie, elle guérira immanquablement le lendemain.

Puisqu'il était là à la mort du Bouddha, avec les onze autres animaux retenus dans le zodiaque oriental, le coq vient donc scander le temps selon un rythme de douze ans. Mais il se retrouve encore donnant son nom à un jour de la semaine et, plus, à une heure. L'heure du Coq, curieusement, désigne la période qui s'étend de 17 heures à 19 heures. Les peintres chinois utiliseront cette figure : qu'un coq se trouve sur une peinture et l'homme averti saura l'heure de la scène. Veillant sur le cycle des douze années, sur le temps plus bref de la semaine et sur l'espace d'une journée, le coq, pour les Chinois, est bien une figure tutélaire. Il y a longtemps, ils confectionnaient au matin du jour de l'an deux figures humaines en bois de pêcher. Après avoir revêtu ces effigies de plumes de coq, ils les plaçaient de chaque côté de leur porte. Ainsi saluaient-ils le premier jour de l'année nouvelle qu'on appelle d'ailleurs le jour du Coq.

De nombreuses histoires circulent en Chine mettant en scène des coqs. Certains de ces contes sont étiologiques, comme celui-ci qui explique pourquoi le coq a la crête rouge :

Un jour, un coq et un canard s'en allèrent de concert se promener au bord du fleuve. Tout en se pavanant, le coq se vantait de sa beauté. Il se moquait du canard : « Avec tes pattes qui ressemblent à des feuilles d'arbre et ta démarche dandinante, ce que tu peux être ridicule ! » Le canard lui répondit : « Toi, tu as une paire d'ailes magnifiques. Quelle chance tu as ! Je suis sûr qu'avec elles, tu peux traverser d'un trait le fleuve. » Le coq, qui ne voulait surtout pas avouer qu'il ne savait pas voler, prit son élan et, au beau milieu du fleuve, tomba. Comme il ne savait pas nager, il allait sombrer quand il cria : « Au secours ! » Le canard eut tôt fait de le rejoindre et de l'aider à regagner la rive. Alors, il lui dit : « Tu vois, c'est grâce à mes vilaines pattes que tu es en vie. » Le coq resta coi et rougit de honte. Depuis lors, la crête des coqs est restée rouge.

D'autres récits font surgir des coqs fabuleux. Sous la dynastie des Song, Wang Anshi était un homme politique connu. Il appartenait au signe du Coq. Un de ses adversaires à la cour de l'empereur fit peindre un tableau qui représentait un homme visant un coq avec une flèche. Cet homme prétendit que l'archer du tableau, c'était lui et que le coq tué par la flèche était Wang. On pensa autour de lui qu'il était en son pouvoir de ruiner Wang. Sûr de lui, il présenta à l'empereur un rapport qui mettait à mal la réputation de Wang. A sa grande surprise, ce fut lui que l'empereur démit de ses fonctions. Il dit alors, autour de lui : « Le coq que j'ai tiré, c'était moi-même ! »

Lorsqu'on lit des récits chinois – tout particulièrement des contes d'origine populaire –, on est frappé par la présence obsédante des coqs. Il semble qu'ils soient placés à l'intérieur de la narration pour y marteler le temps. Ainsi, à l'aube, au premier cocorico, des femmes incertaines redeviennent les renardes qu'elles sont et le voleur se dérobe au jour que le volatile annonce. Du coup, le coq, ici, apparaît comme un élément structurant de la société. Il est celui qui met de l'ordre chez les hommes. Mais c'est à une autre caractéristique de la bête, sa combativité, que renvoient les combats de coqs fort prisés, aujourd'hui encore, dans la Chine du Sud. Ils n'étaient pas l'apanage des seuls gens du peuple ; le roi Xuang de la dynastie des Zhou s'était épris pour eux d'une telle passion qu'il ne se passait ni printemps ni automne sans qu'il assistât chaque jour à ces tourbillons de plumes et de sang. Un fonctionnaire était spécialement chargé de l'élevage des coqs royaux. Mais le souverain qui, par-dessus tout, s'adonnait à ce plaisir fut l'empereur Xuanzong de la dynastie des Tang. Il avait fait installer dans une des cours d'un palais impérial une maison de coqs qui produisait les meilleures bêtes de combat de la ville de Chang'an. On dit que des gens du peuple s'enrichirent et se ruinèrent en s'adonnant à cette cruelle passion. Un conte de Pu Songling rapporte comment Wang Cheng, homme pauvre, fit fortune grâce à son coq qui triompha de l'oiseau d'un prince. Le même Pu Songling fait parfois, très furtivement, apparaître des coqs qui, comme dans nos contes de fées occidentaux, cachent un jeune homme merveilleux qui est bien souvent un prince.

Plus peut-être que la combativité des coqs, ces combats disent la cruauté des hommes. Ainsi le coq devient – en certaines civilisations – « l'instrument » qui révèle quelque chose de l'homme qui sait, si bien, *organiser* la mort. Très souvent, le coq est apprêté. Il n'est pas rare qu'on déplume son dos, son ventre et ses cuisses, qu'on aiguise ses ergots ou, encore, que l'on attache sur ses pattes des éperons de métal, d'airain ou d'argent, qu'on coupe sa caroncule ou qu'on l'ampute de sa crête afin de ne pas donner prise à ses adversaires. Les Romains imiteront les peuples du Proche et du Moyen-Orient qu'ils avaient soumis en leur empruntant ces pratiques. De là, ils passeront en Gaule, puis en Grande-Bretagne. Mais déjà, sous l'influence des Carthaginois, l'Espagne s'adonnait à ces combats dont paysannerie, bourgeoisie et petite noblesse furent friands.

Cependant le coq, en Chine comme en Occident, peut cacher un être insoupçonné, bénéfique parfois et parfois maléfique. Ainsi un certain Song Chuzong avait acquis un coq capable de chanter les chansons des hommes. Il y tenait tant qu'il l'encagea et le mit sous sa fenêtre. Alors ce coq se mit à parler comme un mandarin. Il était si intelligent que, chaque jour, Song s'entretenait avec lui. Peu à peu, son propriétaire acquit une grande maîtrise de l'éloquence au point qu'il fut classé premier aux concours de la licence. L'Occident de son côté a bâti autour de l'intelligence de cet oiseau des contes où l'on voit une moitié de coq s'en aller réclamer au roi la bourse d'or qu'il lui avait prêtée. Grâce à sa ruse, il parvint à ses fins et réduisit le palais du roi en un rien de temps, tant et si bien qu'il n'en resta plus la moindre petite pierre. Mais d'autres coqs sont plus inquiétants. Ainsi, Li Wei mentionne un coq à quatre têtes et quatre ailes si monstrueux qu'on le prenait pour un dragon. Celui qui l'affrontait et le mettait à mort périssait pareillement. Tout un bestiaire fantastique se déploie alors : les coqs à six orteils ou à quatre pattes ou à cinq couleurs apportent la mort. Quant au coq noir à tête blanche, il rend malade celui qui le mange. Le bouddhisme tibétain fera du coq un symbole néfaste ; en compagnie du porc et du serpent, au centre de la Roue de l'existence, il figure l'un des trois poisons du monde : la convoitise.

Au Japon, la *Chronique des temps anciens* rapporte que le coq était là, avec tous les dieux réunis, lorsque Amaterasu, déesse du soleil, s'était enfermée au plus profond d'une grotte dont elle ne voulait pas sortir.

Le monde était alors plongé dans les ténèbres les plus épaisses et s'en allait immanquablement à sa perte. Assemblés devant la porte inébranlable de la grotte, tous les *kami*, navrés, ne savaient comment contraindre la déesse à resurgir pour illuminer l'univers. C'est une déesse mineure qui va dénouer la situation : en proie à l'inspiration divine, elle dénuda sa poitrine et baissa sa ceinture jusqu'à son sexe. Aussitôt, huit cents myriades de divinités éclatèrent de rire en chœur. L'éclat de rire des dieux fut si gigantesque qu'Amaterasu sortit de l'antre pour voir ce qui se passait. Le soleil revint habiter le monde, et les coqs célestes chantèrent. Depuis lors, dans l'enceinte des grands temples shintoïstes, de magnifiques coqs se pavanent en liberté, rappelant qu'un de leurs lointains ancêtres était là lorsque Amaterasu surgit de la grotte. C'est pour la même raison que les prêtres shintoïstes utilisent le coq pour pratiquer un curieux exorcisme. On écrit des paroles sur des bandelettes de papier, qui sont liées aux pattes des coqs. Ces derniers, perchés aux barrières marquant les frontières de la capitale, chantent pour que la ville échappe à tout danger.

Comme en Chine, le coq, au Japon, structure le temps. Dans les nombreux haïkus qui le retiennent, il est le plus souvent posé comme une espèce de vigie de l'espace ou une sentinelle de la durée : *L'aurore... / Et partout des fleurs de pêcher / Et le chant des coqs* (Kikaku). D'autres haïkus rappellent en quelle estime étaient tenus les coqs à longue queue, l'une des plus extraordinaires variétés de l'oiseau de basse-cour, obtenue par des éleveurs japonais, un coq dont la queue pouvait atteindre deux mètres et plus. Au temps des cerisiers en fleurs, ils étaient présentés lors de concours.

Mais le coq joue un rôle tout à fait particulier pour les amants : l'homme qui est venu *visiter* la femme durant la nuit doit en effet la quitter impérativement avant l'aube « alors qu'ils n'ont pas encore épuisé leur désir ». Car selon le mot d'une concubine impériale, Dame Nijô, « les coqs n'oublient jamais leur rôle et entonnent à gorge déployée le chant du matin comme pour lancer un avertissement ». La cloche se mêle à leurs chants pour annoncer que le jour, où l'amant serait reconnu, est tout proche. Le coq, ici, métaphorise la cruelle absence.

La poule, c'est – en vérité – l'autre face, femelle, du coq. Ici, la langue méchamment se sert de la poule pour métaphoriser la femme. Selon Guiraud, le mot, désignant d'abord une prostituée, servit ensuite à nommer la femme du souteneur pour finir par désigner toute femme. La langue est plus impitoyable quand elle utilise le mot pour l'attribuer à un mâle : ainsi, *avoir un cœur de poule*, c'est être un homme sans courage. Quelqu'un *qui mène les poules pisser*, c'est un jocrisse qui ne fait que d'inutiles choses. Une *poule laitée*, c'est un homme faible et sans vigueur. Avoir une *peau de poule*, c'est avoir l'apparence d'une poule plumée ; mais, quand on a peur, on attrape la *chair de poule*. Il n'est pas bon d'être le fils de la *poule blanche*, car c'est passer pour innocent et parfois pour un mignon. Faire le *cul-de-poule*, c'est faire la moue. Etre empêché comme une *poule qui n'a qu'un poussin*, c'est être embarrassé de bien peu de chose. Mais, en revanche, *faire pondre la poule*, c'est se procurer des profits. Une *poule à plumer*, c'est une dupe à faire. *Frisé comme une poule mouillée*, c'est avoir les cheveux plats.

Mais la poule – sans qu'on le soupçonne – introduit à la métaphysique. Par l'œuf. En effet, de nombreuses cosmogonies posent, à l'origine des mondes, un œuf primordial. Dans l'Inde, l'univers commence par du néant, mais ce rien se décide à produire un œuf dont la coquille délimite l'univers à venir dans un vide abyssal. Cet œuf s'ouvre. Sa partie inférieure, qui était d'argent, devint la terre ; la moitié supérieure, en or, devint le ciel. L'intérieur se mua en nuages et eaux, rivières et plaines. Un autre mythe indien fait jaillir de cet œuf un être primordial, Prajâpati, qui fit sortir de son corps l'ensemble des êtres, dieux, hommes et bêtes. De son ventre s'élancèrent les démons et de ses pieds les chevaux. Enfin, de son œil jaillit le soleil et de son être intime la lune et le ciel. On rapporte encore qu'un œuf flottant sur les eaux des origines enfermait tout l'univers à venir. Mais en son centre se tenait Brahma. Quand, au bout de mille ans, l'œuf s'ouvrit, en sortit le dieu qui prit encore mille ans à réfléchir pour savoir comment il allait organiser l'univers. Métamorphosé en un gigantesque sanglier, il fit émerger la terre des eaux. C'est alors que notre monde s'organisa.

Chez les Chinois, c'est le chaos primitif qui a déjà pris la forme d'un gigantesque œuf de poule. Il lui fallut dix-huit mille ans pour s'ouvrir, libérant la terre, *yin* – le pôle féminin du monde – et le ciel, *yang*, son élément mâle. Ainsi sont mis en place les deux registres à partir desquels les Chinois « penseront » le monde. D'autres versions du même mythe font davantage appel au merveilleux : de l'œuf primordial jaillit un gigantesque nain, Pangu, dont la croissance est fulgurante. Lorsqu'il meurt, son corps contribue à constituer les éléments du monde : son sang devient mers et rivières ; sa chair, la terre ; son souffle, le vent ; sa voix, le tonnerre ; ses yeux, le soleil et la lune. Quant aux hommes, le mythe les fait naître des puces dont était infesté le corps de cet être cosmique primordial. Mais, on le sait, les mythes s'effritent et leurs morceaux épars se transforment en légendes et en contes. Nombre de ces récits font naître leurs héros d'un œuf. Aux quatre vents de l'imaginaire, des êtres fabuleux brisent tous les jours la coquille d'un œuf pour aider leurs parents ou accomplir de merveilleux exploits. Au Japon, on raconte aujourd'hui encore l'histoire de ce vannier qui, un jour qu'il coupait des bambous dans la forêt, trouva un œuf de rossignol. Il brillait étrangement. L'homme le rapporta à la maison sans le briser, mais quand il parvint dans sa demeure, l'œuf se fendilla et il en sortit une minuscule petite fille qu'on appela Demoiselle Rossignol. Depuis, lorsqu'il allait dans la forêt, le vieux vannier trouvait souvent de l'or dans les bambous qu'il coupait. Il devint fort riche et la demoiselle si belle que les prétendants se pressaient auprès d'elle. Elle les refusa tous. Un matin, un nuage immaculé s'arrêta dans la maison. La demoiselle y monta, avec le vieux vannier, et le nuage s'envola jusqu'au mont Fuji où il est peut-être encore.

Quant à l'empereur, qui avait voulu faire de Demoiselle Rossignol son épouse, celle-ci, pour le consoler, lui fit don d'une liqueur d'immortalité.

Mais les mythes, en disparaissant, ne laissent pas seulement de belles histoires, ils installent des rites familiers. Il n'y a pas à s'étonner que, pendant longtemps, on conseillât aux femmes stériles de gober des œufs. Parfois, la mise en scène était solennelle : en Haute-Provence, au XIXe siècle encore, les femmes sans enfant montaient jusqu'à un sanctuaire en tenant un œuf dans chaque main. Parvenues au seuil de la chapelle, elles gobaient un œuf et allaient enfouir le second dans la terre. Dans d'autres régions, on offre le premier œuf d'une poule à une fille devenue nubile, pour qu'elle ne soit pas stérile. Mais, ailleurs, on déconseille aux jeunes filles de manger trop d'œufs. Elles deviendraient excessivement fécondes. Chez certains, c'est le mari qui, après avoir percé deux trous à l'œuf, en souffle le contenu dans la bouche de sa femme. On sait de même le rôle aphrodisiaque de l'œuf pour les hommes. En les dotant d'une puissance virile nonpareille, l'œuf joue ici le rôle qu'il tenait dans les plus vieux mythes : il est porteur de vie.

Il faut un œuf pour faire une poule.
Il faut une poule pour faire un œuf.
Alors, dites-moi : qui, de l'œuf ou de la poule, est le premier ?

ÉLISABETH LEMIRRE

Trois contes coqueriquant

Les deux frères et le coq chasseur

Il était une fois deux époux qui avaient deux enfants. C'étaient des gens très pauvres et très misérables.

Ils gagnaient tout juste de quoi se sustenter, et il en était ainsi chaque jour de l'année.

Un soir, alors que les deux époux étaient couchés, ils s'entretinrent de la sorte :

« Nous ne sommes que deux pour nous procurer notre subsistance à grand-peine et fatigue, et nos deux garçons ne nous aident point ; ils ne savent que jouer. Il nous faut les chasser, car nous ne pouvons plus trouver à les nourrir ! »

Le lendemain matin, ils appelèrent les deux enfants, qui s'empressèrent d'accourir, croyant qu'on les appelait pour leur donner à manger. Lorsqu'ils furent auprès de leurs parents, ceux-ci leur dirent :

« Chers enfants, vous êtes grands à présent, et vous avez connaissance des choses. Il faut que vous partiez gagner votre vie : nous ne pouvons plus vous nourrir. Mais nous avons très pitié de vous, et c'est pourquoi nous vous donnons ce pâd d'argent. »

Les deux enfants prirent le pâd d'argent et quittèrent la maison. Quand ils eurent marché quelque temps, le plus jeune dit :

« O mon frère, j'ai très grand-faim. »

L'aîné lui répondit :

« Attends donc à ce soir que nous rencontrions des gens : nous leur demanderons à manger. »

Le cadet garda le silence, et ils continuèrent leur route.

Ayant trouvé une maison, ils entrèrent, fléchirent les genoux devant les maîtres du logis et dirent :

« Nous vous supplions de nous donner à manger ! Peut-être vous reste-t-il un peu de riz durci ou de croûte brûlée, au fond de la marmite ! »

Les gens de la maison, voyant ces deux enfants demander ainsi un peu de riz, furent pris de compassion :

« Chers enfants, questionnèrent-ils, d'où venez-vous ? N'avez-vous point de parents ? »

Ils répondirent :

« Lorsque nous étions encore à la maison, nous ne faisions tous deux que courir nous amuser. Ce qui, à la fin, mit nos parents fort en colère : ils nous commandèrent d'aller gagner notre vie en disant : "Nous n'avons plus de quoi vous nourrir tous les deux." Puis ils nous donnèrent un pâd d'argent pour que nous puissions acheter de la nourriture. Alors nous sommes partis tous les deux. »

Quand ils entendirent les enfants parler ainsi, les gens furent émus de pitié et leur donnèrent du riz, du sel et de l'eau. Lorsque les enfants eurent mangé, ils saluèrent respectueusement en prenant congé, puis ils partirent ensemble.

Chaque fois qu'ils arrivaient dans un village, ils demandaient à manger. C'est ainsi qu'ils agissaient toujours, jusqu'au moment où, dans une maison, ils entendirent les gens s'entretenir de la chasse aux poules sauvages. Ils demandèrent alors :

« Avez-vous à vendre un coq dressé pour servir d'appeau ? »

Les gens répondirent qu'ils n'en avaient point à vendre ; mais ils ajoutèrent :

« Allez donc en acheter un chez l'homme de Java qui habite la maison que vous voyez de l'autre côté. Il dresse des coqs pour la chasse. Allez donc voir chez lui. »

Les deux frères, sur le conseil de ces gens, s'y rendirent. Parvenus chez le Javanais, ils lui dirent :

« Petit père, on nous a informés que vous aviez des coqs à vendre ? »

A ces mots, l'homme répondit :

« J'en ai, en effet, mais je les vends très cher. Je crains, mes fils, que vous ne puissiez les acheter !

— Combien les vendez-vous, petit père ? » demanda l'aîné.

L'homme de Java répondit :

« Un coq servant d'appeau se vend d'ordinaire un pâd. Mais mon coq, je le vends une piastre. »

Le garçon reprit :

« Hélas, je n'ai qu'un pâd, et il faut aussi que j'achète de quoi manger pour mon petit frère. »

L'homme leur dit alors :

« Si vous n'avez que cet argent, mes fils, emportez mon coq pour cette pièce. Je vous donnerai du riz à manger et du riz à cuire. »

Les frères reprirent :

« Permettez que nous voyons ce coq. Montrez-le-nous, petit père. »

Le vieux alla attraper le coq et le rapporta aux deux frères. Quand ils l'eurent vu, ils demandèrent :

« Petit père, ce coq a-t-il déjà chassé ?

— Oui, ce coq a chassé, répondit l'homme.

— S'il en est ainsi, répartirent les enfants, nous le prenons, et nous vous demandons l'hospitalité pour une nuit ! »

Là-dessus, les deux frères remirent au Javanais le pâd d'argent. Et ils couchèrent dans sa maison.

Au lever du jour, l'homme fit cuire le riz et servit à manger aux deux enfants. Puis il prépara un paquet de riz et de poisson qu'il leur donna à emporter. Enfin il alla délier le coq pour le leur remettre. Quand ils l'eurent reçu, les deux frères prirent congé du vieillard.

Poursuivant leur chemin, ils entrèrent dans la forêt ; et, sortant de la forêt, ils traversèrent la plaine. Ils ne faisaient ainsi que marcher et marcher.

Une fois, ils s'arrêtèrent sous un arbre pour manger et quand ils eurent achevé leur repas, ils se couchèrent au pied de l'arbre pour dormir.

Or, ce jour-là, Indra sentit son trône devenir si chaud qu'il s'y trouva mal à l'aise. Le dieu pensa dans son cœur :

« Que se passe-t-il donc pour que mon trône chauffe ainsi ? »

Indra promena sur le monde son œil divin et découvrit les deux frères qui enduraient grande fatigue, peine et misère. En les voyant, il se dit :

« Il me faut aider ces enfants ! Car leurs mérites sont puissants. »

A cette pensée, le dieu s'empressa de descendre

sur notre monde, d'un vol rapide comme l'éclair, et trouva les deux enfants endormis sous l'arbre. Alors le dieu suscita deux puits tout près d'eux. Puis, sur les margelles de ces deux puits, il traça des caractères. Sur l'une, on lisait : *Si tu descends dans ce puits, ton corps disparaîtra dissous.*

Et, sur l'autre : *Si quelqu'un a disparu dissous dans le premier puits, prends l'eau de ce puits-ci et verse-la dans l'autre : alors l'homme ressuscitera.*

Quand il eut tracé ces inscriptions sur le bord des deux puits, Indra d'un vol rapide regagna son palais céleste.

A leur réveil, les enfants découvrent les puits. Ils vont y puiser de l'eau pour leurs ablutions et lisent les deux avis. Alors l'aîné dit :

« J'ai envie d'essayer en y jetant notre coq !

— Fais comme tu l'entends, répond le cadet, moi je ne sais qu'en penser. »

L'aîné jeta le coq dans le premier puits et sitôt que l'animal eut touché l'eau, il disparut, complètement dissous.

Voyant ainsi disparaître leur coq, les deux enfants coururent prendre de l'eau dans l'autre puits et la versèrent dans le premier. Aussitôt, le coq reparut vivant.

Lorsqu'ils virent l'animal ressuscité et plus beau qu'auparavant, ils discutèrent pour savoir qui descendrait le premier dans le puits. L'aîné dit :

« Mon petit frère, descends, toi d'abord, je descendrai ensuite. »

Le cadet répondit :

« Il n'a jamais été dans la règle que le cadet passe

avant l'aîné. Descends donc, toi le premier. Ensuite, je pourrai le faire.

— Puisque tu veux que je descende, répartit l'aîné, va donc prendre l'eau de l'autre puits pour être prêt à m'en arroser.

— Jette-toi sans crainte, mon frère, je t'arroserai de l'autre eau. »

Sur cette assurance, l'aîné se laissa tomber dans le premier puits. Sitôt qu'il toucha l'eau, le garçon disparut, complètement dissous.

Quand le cadet ne vit plus son frère, il courut prendre de l'eau dans le second puits, et la versa dans celui où avait disparu l'aîné. Et voici que le jeune homme remonta. Mais en outre, il était devenu remarquablement beau.

A cette vue, le cadet s'écria :

« Mon frère, tu m'arroseras aussi ! Je vais descendre dans le puits. »

Il sauta dans le puits et, en un instant, il fut tout à fait dissous.

Lorsqu'il vit que son frère avait complètement disparu, l'aîné se mit à gémir et à pleurer, croyant que son cadet avait péri.

Après avoir pleuré un petit moment, il retrouva ses esprits et il se dit :

« Que fais-je donc là à pleurer ? Il est commandé de prendre l'eau de l'autre puits et de la verser dans celui-ci pour ressusciter quelqu'un qui s'y est dissous. »

Alors il courut prendre de l'eau dans le puits voisin et la versa dans le premier. Et voilà qu'aussitôt son frère reparut vivant ; mais le garçon était devenu entièrement beau de corps et de teint.

Enfin l'aîné dit :

« Petit frère, nous sommes assez restés en ce lieu. »

Et les deux adolescents reprirent la route.

Après avoir voyagé plusieurs mois, l'aîné atteignit ses vingt ans. Le cadet en avait alors quinze ; cependant il était adroit et avisé.

Un jour, les deux frères se dirent :

« Chassons pour essayer notre coq. »

Ils se rendirent en un lieu solitaire, loin des habitations. Là, ils disposèrent un lacet, puis lièrent leur coq à un piquet. Ensuite ils allèrent se cacher et attendirent.

Le coq battit des ailes trois fois et chanta.

Au cri du coq, la fille du gouverneur du pays, qui se trouvait en sa maison, éprouva une grande chaleur et ne put tenir en place. Le coq secoua ses ailes et chanta encore une fois. A ce nouveau cri, la jeune fille prit une cruche et, la portant sur sa hanche, se dirigea vers le lieu où l'on entendait le chant du coq. Comme elle parvenait près d'une mare, le coq chanta encore une fois. La demoiselle s'arrêta, prêta l'oreille, puis marcha résolument vers l'oiseau. Alors elle se prit dans le piège disposé par les deux jeunes gens.

Les deux frères saisirent la jeune fille, lui attachèrent les deux mains avec une liane, et la traînèrent au bout de ce lien jusqu'au village. Ils allèrent de maison en maison, criant :

« Qui veut acheter la prise de notre coq de chasse ? »

Un homme qui était sorti pour voir s'étonna :

« N'est-ce pas là la fille du gouverneur ? Comment

se fait-il que ces jeunes gens l'emmènent vendre ? Il faut que je les envoie au gouverneur pour voir ce qui se passera. »

« Je n'achète pas, dit-il aux deux frères, mais allez donc chez le gouverneur ; il est très riche. »

Les deux frères s'en furent chez le gouverneur, qui leur demanda :

« Pourquoi avez-vous saisi et attaché ma fille ?

— C'est une capture de notre coq, répondirent les deux jeunes gens. Cette jeune fille est venue à son appel se prendre dans notre lacet. C'est pourquoi nous l'avons attachée et pensons la vendre. »

Alors le gouverneur demanda :

« Combien voulez-vous la vendre ? »

Ils répondirent :

« Quand la capture est une poule, il est d'usage de la vendre une ou deux ligatures de sapèques. Mais cette capture est un être humain, c'est pourquoi le prix en sera très élevé. Nous la vendons trois barres d'argent. »

Le gouverneur leur donna les trois barres d'argent, et reprit sa fille.

Pleins de joie, les deux jeunes gens prirent congé du gouverneur et allèrent acheter de quoi manger.

Cependant, un officier du palais courut informer le roi :

« Deux jeunes gens, lui dit-il, ont capturé à l'aide d'un coq servant d'appeau la fille du gouverneur. Il a dû la racheter pour trois barres d'argent, sinon ces individus ne consentaient pas à la lâcher. »

Le roi fit amener les deux jeunes gens et leur demanda :

« Est-il vrai que vous avez un coq chasseur qui a capturé une créature humaine ?

— Oui, Sire, c'est vrai », répondirent les deux frères.

Le roi dit alors :

« Si votre coq est capable de capturer la première reine, mon épouse, je vous cède mon royaume.

— Donnez-nous des témoins, ils verront », répartirent les deux jeunes gens.

Puis ils prirent congé du roi et s'en allèrent, l'aîné portant le coq sur son bras et le cadet tenant le lacet.

Ils choisirent un endroit dans le voisinage du palais où ils disposèrent leur nœud coulant et, plantant un poteau, ils attachèrent leur coq. Puis, ils se cachèrent et attendirent.

Le coq battit des ailes trois fois en chantant. Alors les murs du palais crevèrent, la reine sortit et courut se prendre au piège. Les jeunes gens la saisirent et, l'ayant attachée, ils la menèrent au roi.

Lorsque le roi reconnut la reine et qu'il vit ses murailles crevées, il eut le vif désir de posséder le coq. Pour avoir l'animal, il abandonna à l'aîné son royaume, la reine et toutes ses concubines. Le cadet devint alors uparâj (vice-roi).

Quant au roi, il quitta son palais, emportant le coq. Il erra à la façon des chasseurs de poules sauvages. Il voyagea longtemps, quittant la plaine pour entrer dans la forêt, et sortant de la forêt pour traverser la plaine. Puis, il vint à manquer de nourriture.

Se sentant épuisé, il s'arrêta, disposa son lacet, planta un piquet et attacha le coq. Ensuite il alla se cacher et attendit ce qui allait se passer. Cette fois, le coq ne chanta pas, et ne fit que se rouler dans la poussière.

Au bout de quelque temps, le roi des éléphants s'approcha du coq, le frappa de ses deux défenses, l'enfonçant dans la terre, à la façon de quelqu'un qui aurait voulu enfouir le coq dans le sol. Après quoi, le roi des éléphants regagna sa retraite.

A cette vue, le roi propriétaire du coq se lamenta :

« Oh ! le féroce éléphant ! Il a tué mon coq que j'ai payé le prix d'un royaume ! »

Il alla chercher son coq. Et l'ayant trouvé, il vit que les deux défenses de l'éléphant étaient tombées de chaque côté de l'oiseau : le coq était au milieu des deux défenses. Le roi, tout heureux, enleva son piège, prit son coq sous le bras et traîna les défenses de l'éléphant jusque sous un figuier.

Là, le roi planta un piquet et y attacha le coq, puis disposa les deux défenses l'une contre l'autre.

Après quoi, il s'étendit. Et, exténué par le jeûne qu'il endurait depuis sept jours, il perdit bientôt connaissance.

Or les défenses de l'éléphant tenaient enfermées deux créatures féminines. Voyant le roi couché sans connaissance par défaut de nourriture, les deux sœurs sortirent des défenses et préparèrent un repas, qu'elles placèrent auprès du dormeur. Ensuite, elles rentrèrent dans leurs cachettes d'ivoire.

Lorsque le roi, qui ignorait l'existence de ces deux êtres cachés dans les défenses, sortit de son sommeil, il s'écria à la vue de ces mets de si belle et si savoureuse apparence :

« J'ai jeûné sept jours sans trouver de nourriture,

et maintenant je vois des aliments merveilleux ! Ou c'est une divinité qui les a produits, ou c'est un homme qui a préparé ce repas en mêlant du poison pour tenter de me faire périr. Mais que je meure d'inanition ou par le poison, je veux essayer cette nourriture et me délivrer au moins de la faim ! »

Le roi se risqua donc à manger le repas miraculeux. Il était d'une saveur succulente. Et quand le roi l'eut achevé, il se sentit l'esprit et le corps soulagés et remplis de bien-être.

Ensuite, le roi dissimula les deux défenses de l'éléphant. Puis, prenant son coq et le nœud coulant, il se remit en route.

Il erra encore sept nuits et sept jours, tournant dans la forêt, et se nourrissant exclusivement de fruits, sans trouver un seul jour d'autres aliments. A la fin, il fut fatigué, exténué et affamé.

Il fit cette réflexion :

« O malheureux que je suis ! C'est par désir du mieux que j'ai vendu mon royaume contre ce coq, et que maintenant je vais, souffrant en mon corps ! »

Alors il planta le piquet, attacha le coq et disposa le nœud coulant. Après quoi, il s'en fut se cacher et attendit.

Le coq battit des ailes et chanta trois fois de suite. Puis il se coucha et se roula sur le sol, à la manière des oiseaux qui s'ébrouent dans la poussière. Quelque temps après, arriva le roi des rhinocéros. A la vue du coq, il se rua soudain sur lui. Mais voilà que sa corne se détacha et tomba de son front, tout à côté du coq. Alors le roi des rhinocéros regagna sa retraite.

Or, dans cette corne de rhinocéros, se trouvait cachée une créature féminine. Le coq se mit à gratter la terre, recouvrant la corne. Puis il se coucha et recommença à s'ébrouer.

Quand le roi vit le rhinocéros se ruer sur son coq, comme pour le mordre, il s'écria :

« Oh ! d'où vient ce rhinocéros qui s'est précipité sur mon coq pour le dévorer ? »

Alors il courut en toute hâte à l'endroit où il avait attaché l'oiseau et fut rempli de joie en voyant le coq couché à terre en train de s'ébrouer. Il arracha le piquet, délia le coq et le prit sous son bras.

A ce moment, il vit la corne du rhinocéros et la ramassa. Mais il ne savait pas qu'une créature était cachée à l'intérieur.

Le roi revint sous le figuier, et comme il était exténué de corps et d'esprit, il s'endormit profondément.

Alors, la dame que recelait la corne, voyant que le roi était privé de nourriture, sortit de sa cachette et se mit en devoir de lui préparer un repas avec des aliments divins. Après quoi, elle rentra dans la corne.

Lorsque le roi s'éveilla et qu'il vit ces mets près de lui, il se dit :

« Ah ! voilà de quoi manger ! Mais sait-on si ces aliments ne sont pas empoisonnés ? Allons ! Si quelqu'un a voulu m'empoisonner, eh bien, j'en mourrai ! »

Quand le roi eut mangé de cette nourriture, il éprouva un grand soulagement et un grand bien-être en son corps et son esprit.

Alors, il recommença à errer, sortant de la plaine pour entrer dans la forêt, et sortant de la forêt pour entrer dans la plaine. Un jour, il découvrit un endroit à sa convenance. Il s'y arrêta, planta son piquet, y attacha le coq et disposa le lacet.

Puis il s'éloigna et alla se cacher sous un figuier pour attendre, en surveillant le coq.

Ne voyant rien arriver, et comme il était épuisé, il tomba dans un profond sommeil.

Or, le coq possédait des caractéristiques humaines, c'est pourquoi il ne capturait point les poules comme le font les autres coqs.

Il battit des ailes et chanta trois fois. Alors surgirent de terre un palais d'or et un palais d'argent, des maisons et des bazars, des voies et des chaussées bien régulières. Le tout était ceint de remparts. Ce n'était qu'or, argent, pierres précieuses qui étincelaient d'éclats vermeils.

Les rayons qui en émanaient formaient comme un incendie au-dessus du coq et le plongeaient dans l'ombre.

A ce moment, le roi se réveilla et vit rougeoyer ce vif incendie.

« Oh ! s'écria-t-il, qui a mis le feu à la forêt ? Mon coq est brûlé, ce coq que j'ai payé le prix d'un royaume ! Cette fois, mon coq est bien perdu ! »

Alors le roi se mit à courir de tous côtés, cherchant le coq et le regrettant de tout son cœur.

A ses yeux s'offraient les palais d'or et d'argent, qui entrecroisaient leurs éclats de diamants et de pierreries ainsi que leur lumière vermeille. Ayant retrouvé le coq vivant, il parcourut les avenues bordées de maisons et de bazars. Il se crut dans une cité de paradis.

Alors, le roi comprit le prodige et pensa en son cœur :

« Oh ! cette ville céleste ne peut pas être l'œuvre des hommes ! C'est sans doute ce coq pourvu des signes qui aura pipé et suscité ces palais d'or et d'argent, toute cette splendeur et cette opulence. »

Le roi retourna chercher les deux défenses d'éléphant et la corne du rhinocéros, puis vint habiter avec le coq la merveilleuse résidence.

Les créatures féminines qui étaient dans les ivoires sortirent et se montrèrent : c'étaient trois reines d'une extraordinaire beauté, de teint éclatant et sans taches, pareilles à des dames du paradis. Le roi leur rendit hommage et fut pris d'amour pour toutes les trois.

Il fit de la dame qui était dans la défense de droite, sa reine de droite ; de la dame qui était dans la défense de gauche, sa reine de gauche. Quant à la dame qui se trouvait dans la corne du rhinocéros, il l'institua sa reine du milieu. Puis il nomma sa ville Pûrî-pussâ (la Ville Fleurie) dont la renommée s'étendit par tout l'univers.

Les marchands accoururent de tous les pays, y faisant un trafic intense de toutes sortes de denrées et marchandises. Dans le royaume de Pûrî-pussâ régnaient l'abondance et la tranquillité.

Le roi nourrit le coq et le plaça à la tête de ses dignitaires grands et petits, hiérarchisés à la mode des antiques royaumes.

Il gouverna cent années, puis lorsqu'il fut parvenu à l'extrême vieillesse, il mourut. Alors, les trois reines et la cité miraculeuse se désagrégèrent et disparurent en même temps. Car cette ville céleste n'était qu'une apparition.

Et c'est ainsi que se termine le conte du coq chasseur.

Contes populaires inédits du Cambodge,
G.P. Maisonneuve.

Le petit coq du prince Kelaras

Il était une fois une jeune fille très triste, qui vivait au cœur de la jungle profonde, en l'île de Java. Ses parents étant morts, elle s'était retirée dans la solitude, pour ne pas importuner les autres de ses larmes. Elle s'était construit une cabane de branchages et de feuilles de palmier, s'était noirci le visage de cendres et s'était consacrée au tissage de fils de toiles d'araignée pour les modestes vêtements des ermites. Tout en travaillant, elle écoutait les voix de la jungle et apprenait le langage des animaux. Un jour, un serpent tacheté rampa jusqu'à ses pieds, et la pria, dans sa langue de serpent, de lui verser du lait de coco dans une coupelle. Pour la remercier, il lui promit sa peau colorée de serpent.

« Quand tu rencontreras l'homme qui te plaît, revêts-la », lui conseilla-t-il. La jeune fille ne fit que sourire un peu tristement.

« Je ne veux rencontrer personne, se défendit-elle. Les gens n'aiment point voir les larmes dans les yeux des jeunes filles. Je vais rester dans la jungle jusqu'à ce que les dieux emportent mon âme au ciel. » Le serpent se redressa et la fixa en plein visage de ses yeux qui fascinaient. Il siffla :

« Où sont-elles, tes larmes ? » La jeune fille s'essuya machinalement les paupières, et s'étonna fort. Elle avait recueilli de véritables perles qui brillaient dans sa main. Elles étaient si grosses et si transparentes, ces perles, que le monde entier s'y reflétait. En les contemplant, qu'elle le veuille ou non il lui fallut rire. Dans l'une des plus grosses, elle vit un roi puissant qui précisément grondait son fils oisif.

« Bon à rien, fainéant, mauvaise graine ! pestait le roi. Au lieu d'apprendre ton métier de roi, tu gaspilles ton temps à de stupides combats de coqs ! C'est du propre, tu n'es qu'un vagabond ! Eloigne-toi de ma demeure et ne reviens pas avant que la jungle t'ait enseigné la réflexion et la sagesse. »

« Quelle chose étrange ! Qui donc n'aurait pas ri de ce petit de roi ! Voyez-moi ça, comme ce gamin fait la moue, comme il se prélasse dans le jardin, comme s'il attendait que son père le roi se ravise et comme – vite, frère serpent, regarde – comme précisément maintenant notre gamin en larmes se met à faire une moue de petite fille. » Mais le serpent avait déjà disparu, comme s'il s'était dissipé dans les airs. Et la jeune fille regardait et regardait dans la perle, jusqu'à ressentir une véritable pitié pour ce charmant petit prince.

« Oh, comme il est beau ! Pauvre petit, comme il se sent abandonné ! » Et pour un peu elle se serait mise à pleurer elle aussi. Qui sait d'où cela provenait, soudain tout était changé pour elle. Comment, cette jeune fille isolée de tout et de tous regarde dans une perle magique, et soudain, en elle, cela bourdonne et résonne comme dans une coquille de noix de coco sèche ! Et comment en serait-il autrement ? En effet, ce beau prince héritier se dirige justement vers la jungle, tout droit sur la cabane misérable de la jeune fille. Vite, elle se regarde dans l'eau de la fontaine. Horreur ! Un visage tout noirci, couvert de croûtes, des cheveux pleins de chardons et de fougères, le front envahi de mousses comme les anciennes statues des dieux dans les vieux sanctuaires.

« Il ne faut pas que le prince me voie dans cet état », se dit la jeune fille qui chercha vite un endroit où se cacher. Mais avant qu'elle ait eu le temps de se faufiler dans une noix de coco vide, déjà le prince la tenait par la main.

« Voilà un joli petit épouvantail, disait-il tout content. Viens avec moi, griffonnette barbouillette, je vais t'apprivoiser. Et tu m'accompagneras aux combats de coqs. »

La jeune fille suppliait le prince de la lâcher, mais lui, il ne faisait que rire, et la tenait par les cheveux. Enfin en s'agitant, la jeune fille parvint à se libérer et se glissa vite, sans penser plus loin, dans la peau du serpent, cette peau tachetée que lui avait laissée le serpent à qui elle avait donné du lait. Et qu'est-ce qui se passe ? Voilà que du coup, dans les fourrés, il y a une jeune beauté telle que jamais le monde n'en a vu la pareille. Un splendide sarong lance des flammes de couleur, pareilles à celles du manteau nuptial du roi des serpents, elle porte une ceinture tissée de petites langues de serpent, et sa tête est couronnée d'un diadème d'yeux de serpent. D'admiration, le prince reste bouche bée, et sa bouche est ouverte si grande, que pour un peu un singe curieux qui passait par là serait tombé dedans.

« Que mon coq favori me becquette si je comprends quelque chose à tout ça. Qui es-tu, noble demoiselle ?

— Tu m'as appelée petit épouvantail », répondit-elle en souriant. Le prince en fut terriblement gêné, et proposa tout de suite à la belle de l'épouser. C'est de bon cœur que la belle abandonnée accepta. Et ainsi, ils vécurent ensemble au cœur de la jungle, dans la cabane de branchages et de feuilles de palmier. Ils étaient heureux. Mais avec le temps, le prince se mit à regretter le merveilleux palais royal et ses combats de coqs. Avec le temps, il devenait de plus en plus taciturne, et ne gaspillait plus sa salive pour dire un seul mot à sa jeune femme. Et elle en souffrait souvent. Un jour qu'elle était très mélancolique, elle regarda dans ses perles magiques, pour savoir ce qui se passait dans le monde. Elle en eut le souffle coupé, de ce qu'elle voyait. Elle appela :

« Viens vite, mon prince ! Les perles me disent que ton père est mort. Tu es roi d'un royaume puissant. Tout le monde te recherche. »

Dès qu'il eut appris cette nouvelle, le prince ne tint plus en place.

« Il faut que je te quitte, ma femme chérie, dit-il à la malheureuse. Il n'est pas convenable que le roi d'un puissant empire ramène au palais une épouse de basse extraction. Sois heureuse, jamais je ne t'oublierai. » Et là-dessus, il s'en alla pour retourner au palais royal. Et la belle abandonnée réapprit à pleurer.

Le temps passa, et dans la cabane de feuillages et de palmes, un petit garçon naquit. La maman lui donna le nom de Pandji Kelaras. Le soir, elle le berçait dans son giron et lui racontait la triste histoire d'un roi infidèle. Il arriva un jour qu'un autour décrivît des cercles au-dessus de leur tête. Il eut peur d'un feulement de tigre et lâcha sa proie. C'était un petit poulet, qui tomba juste dans le giron de la maman. Le petit poulet vivait encore. La jeune femme pansa ses plaies, souffla sur ses bobos, puis le confia à son fils, pour qu'il s'en occupe. Bientôt, le petit poulet devint un fameux coq, solide et fier. Il se posait sur l'épaule du gamin et plastronnait dans tous les sens. Il chantait :

Cocorico, vade retro !
Du coq royal, craignez l'ergot.
Un coup à gauche, un coup à droite
Et l'adversaire est mis en boîte !

Celui qui entendait ça prenait le large. Le radjah Rimba lui-même, le roi rayé de la forêt vierge, n'était guère tenté de se lancer dans une bagarre avec lui. Et si ce petit bout de coquelet était en relation avec les démons eux-mêmes ? Si bien que Pandji Kelaras pouvait à son aise déambuler dans la jungle, personne ne songeait à lui faire du mal.

En grandissant, le fils se mit à poser des questions à propos de son père. La maman faisait rouler ses perles magiques dans sa main, soufflait dessus, puis, très triste, elle constatait :

« Ton père, ce puissant roi, est précisément en train d'organiser un combat de coqs dans la cour de son palais. Moi, il m'a complètement oubliée », ajouta-t-elle alors en poussant un soupir. Pandji Kelaras, lui, se mit en tête d'aller aussi tenter la chance avec son coq.

« Attends un peu, mon père, tu nous revaudras tout ça ! » se disait-il en se dirigeant vers la ville. La cour du palais avait l'air d'un champ de bataille. Quel bruit ! Que de discussions, de disputes ! Les uns criaient sur les autres, bondissaient tout excités et se rasseyaient aussitôt, faisant le cercle, invectivaient les concurrents et clamaient leurs mises. D'autres excitaient leurs coqs et tâtaient du pouce le fil des longues et minces lames qu'ils fixaient sur les ergots de leurs courageux volatiles. Au milieu de la cour, l'un des coqs du roi venait justement de battre, en un combat cruel, un courageux adversaire. Quels cris d'allégresse ! Le roi lui-même ne se contenait plus, et de joie il s'était presque relevé de son hamac.

« Qui ose encore opposer son coq à mon champion ? appela-t-il, tout fier et joyeux.

— Moi ! » retentit une voix claire dans la foule. Le roi regarda de tous côtés, mais il ne vit nulle part le téméraire inconnu. Ce n'est que lorsque les spectateurs eurent soulevé le petit Pandji Kelaras par-dessus les têtes que le roi le vit, et alors il éclata de rire, de bon cœur.

« Qu'as-tu donc sur l'épaule, mon petit gars ? Une mouche, ou une fourmi ? Et depuis quand les mouches cocoriquent-elles chez nous ? » Le roi faisait l'étonné. Tout le monde riait. Mais Pandji Kelaras s'obstina à vouloir que son petit coq se batte contre le favori du roi.

« Si tu y tiens absolument, lance-le dans l'arène ! » dit le roi, et aussitôt l'argent se mit à tomber de tous côtés. Mais personne n'avait parié le moindre petit grain de riz sur le coquelet de Pandji Kelaras. C'est que les combattants du roi étaient de fieffés gaillards ! Qui se dressait contre eux ne s'en remettait pas. Mais le petit ami de Pandji Kelaras n'avait peur de rien. Il s'envola comme l'éclair au centre de la cour en cocoriquant :

Cocorico, vade retro !
Je suis le coq du fils du roi,
Quiconque ose s'opposer à moi,
Bientôt regrettera, ma foi !

Avant que le coq du roi n'ait compris ce qui lui arrivait, c'en était fini de lui. Tous les spectateurs en restèrent bouche bée. Le roi lui-même ne pouvait prononcer une parole. Pandji Kelaras reprit son petit coq sous son bras, il jeta sur son épaule le sac plein de pièces de monnaie qu'il avait gagnées, et se hâta de retourner auprès de sa mère. Elle le pria en insistant très fort de ne plus jamais retourner au palais, mais le petit Pandji ne voulut rien entendre de tel. Trois jours après, il remettait son petit coq sur son épaule et retournait au combat, au palais du roi.

Quel brouhaha, à son entrée dans la cour du palais ! Tous les parieurs se ruaient pour ne point manquer la mise, et ils criaient au roi que le valeureux gamin avec son petit coq était revenu.

« Cette fois-ci, tu ne m'auras plus, gamin ! Je vais opposer à ton scorpion mon meilleur coq. Il y aurait de la sorcellerie là-dedans, si je ne gagnais pas aujourd'hui ! Combien paries-tu, que mon coq abat ta mauviette ?

— Je parie ma tête, Majesté ! Et toi, parie ton trône », proposa Pandji Kelaras.

Le roi fut outré d'un tel pari. « Que ferais-je de ta tête, garnement ? Il y a de l'or dedans, sans doute ? Ou bien une once de sagesse ? se moqua-t-il.

— Aurais-tu peur, ô roi puissant ? » coupa net Pandji Kelaras. Cela excita le radjah.

« Soit, tu auras ce que tu as voulu, singe entêté ! Si tu veux payer de ta tête, fort bien ! Je la donnerai comme jouet aux jeunes crocodiles. »

Alors le roi fixa de ses propres mains, aux ergots de son coq, les fines lames acérées, ointes d'un poison violent. Puis il lâcha l'oiseau irrité dans l'arène de combat. Mais le petit coq de Pandji Kelaras, sans manifester la moindre frayeur, s'envola un peu haut en cocoriquetant :

Cocorico, tremble, misérable,
J'ai envie de passer à table !
Sais-tu quel coq tu oses affronter ?
Celui du fils de Sa Majesté !

Le coq favori du roi n'avait pas eu le temps de jeter un regard autour de lui qu'il n'en restait qu'une envolée de plumes se dispersant au vent.

« Et maintenant tiens ta parole, Sire le roi, et remets-moi ton trône ! » déclara Pandji Kelaras.

A ouïr ces paroles, le roi devint littéralement fou de rage et de peur. Saisissant un javelot empoisonné, il le lança vers le petit garçon. Mais le coquelet de Pandji Kelaras ne perdit pas de temps pour saisir le javelot dans ses pattes et l'emporter dans le ciel. Tout en s'envolant, il chantait :

Cocorico, le père va-t-il se décider
Et pour Pandji Kelaras, abdiquer ?
Son âme est lourde de son péché,
Son fils, pour un peu il l'aurait tué !

Le roi n'en croyait pas ses oreilles. Il prit son enfant, le petit prince, dans ses bras, et lui demanda pardon. En apprenant que sa femme, la belle, vivait toujours dans la cabane au cœur de la jungle, la cabane de feuillages et de palmes, il est allé la rechercher, et l'a ramenée en son palais, en tête d'un splendide cortège. Et après ça, tous trois ont vécu ensemble, heureux et tranquilles, jusqu'à un âge fort avancé. Mais le courageux petit coq n'est plus jamais redescendu du ciel, du moins c'est là que les gens croient qu'il est parti.

Contes d'Indonésie, Gründ.

Combats de coqs

Wang Cheng, fils d'une ancienne famille de Pingyuan, était d'une nonchalance rare. Ses moyens d'existence déclinant de jour en jour, il ne lui restait plus que les quelques pièces d'une maison délabrée et une natte à couvrir les vaches dans laquelle il se roulait avec sa femme, occasion d'incessantes et insupportables querelles.

C'était alors le plein été, époque où la chaleur était si étouffante que la plupart des villageois passaient la nuit sous le seul kiosque encore debout dans le parc des Zhou, un domaine complètement en ruine aux abords du village. Wang en faisait autant, mais alors que les dormeurs se dispersaient dès l'aube, lui seul ne se levait que lorsque le soleil rougeoyait à hauteur de trois perches, puis s'attardait longuement avant de se décider à rentrer chez lui. Ce jour-là il aperçut dans l'herbe quelque chose qui brillait, une épingle à cheveux en or ; il la ramassa et l'examina. Il déchiffra, finement gravés, les caractères suivants : « Fabriqué pour le palais du gendre princier. »

Comme son grand-père avait été dans cette position de gendre au palais du prince Heng, Wang avait vu dans sa famille maints objets anciens qui portaient cette marque. Il restait donc planté là, l'épingle en main, ne sachant trop que faire, quand parut soudain une vieille femme qui la cherchait. Si pauvre qu'il fût, Wang était honnête : il la lui rendit immédiatement. Ravie, la femme fit les plus grands éloges de cette preuve de haute vertu, puis ajouta : « J'y tiens beaucoup parce que c'est un souvenir de mon défunt mari, non pour les quelques sous que pourrait valoir l'objet.

— Qui donc était votre mari ?

— Le feu gendre princier Wang Lianzhi, répondit-elle.

— Mais c'est mon grand-père, se récria Wang, stupéfait, comment l'avez-vous rencontré ?

— Vous êtes donc son petit-fils, répliqua la vieille non moins étonnée, je suis en vérité une renarde et m'étais liée à votre ancêtre il y a un siècle. Je me suis retirée après son décès. A croire que c'est le destin qui a voulu que je perde par ici cette épingle pour qu'elle tombe entre vos mains ! »

Comme il avait entendu parler de cette femme-renarde du grand-père, Wang la crut sur parole et l'invita à passer chez lui. Elle le suivit. Il appela sa femme. Elle se présenta en haillons, le visage creusé par la faim.

« Hélas ! soupira la vieille, le petit-fils d'un prince en est donc arrivé à une telle misère ! » Puis son regard tomba sur le fourneau éteint et délabré. « Comment faites-vous pour survivre au point où vous en êtes ? »

Ravalant ses larmes, l'épouse fit alors un récit circonstancié, entrecoupé de sanglots, de leur misérable condition. La vieille femme lui tendit l'épingle pour la mettre provisoirement en gage et en tirer de quoi acheter une provision de riz. Elle les pria de bien vouloir la recevoir à nouveau dans trois jours. Wang aurait voulu la retenir, mais elle rétorqua :

« Tu n'es même pas capable de faire vivre ton unique épouse : si je reste, à quoi bon me garder à lever les yeux au plafond sans savoir que faire pour vous aider ! »

Elle s'en alla sans plus de commentaires.

Lorsqu'il révéla qui elle était, sa femme fut d'abord épouvantée, mais en louant vivement la noblesse morale de cette grand-mère, Wang réussit à la persuader de la traiter en parente.

Trois jours plus tard, celle-ci revenait comme elle l'avait promis. Elle produisit plusieurs taels, de quoi acheter un quintal de millet et un autre de céréales. Le soir venu, elle proposa de partager un divan avec l'épouse, pas très rassurée d'abord, mais sa compagne se montra si aimable que toute prévention la quitta.

Le lendemain, l'invitée entreprit de sermonner son petit-fils : « Assez paressé ! Il faut te mettre à quelque petit métier. Rien ne dure : à rester assis à manger, montagne se viderait ! »

Comme Wang faisait valoir qu'il ne disposait d'aucun capital, elle lui répondit : « Du temps où ton grand-père était de ce monde, j'avais autant d'or et de soieries que je voulais à ma disposition, mais étant de l'autre monde, je n'en avais guère besoin et en usais fort peu. J'avais toutefois économisé, pour frais de toilette, quarante taels que je possède encore et dont je n'ai plus l'usage. Prends-les. Investis la somme entière en toile d'été et pars sur l'heure à la capitale. Tu pourrais en tirer un bon profit. »

Suivant ce conseil, Wang rentra chez lui après avoir acheté une cinquantaine de pièces de toile. La grand-mère lui recommanda de plier bagage sans tarder, calculant qu'il lui faudrait six ou sept jours pour atteindre Pékin : « Il faut faire diligence et non paresser, se hâter sans traînailler. Un jour de retard et il ne serait plus temps de le regretter ! »

Wang acquiesça fort respectueusement et, sa marchandise emballée, se mit aussitôt en route. Surpris à mi-chemin par la pluie, vêtements et chaussures trempés, notre voyageur, qui n'avait jamais dû affronter les intempéries, ne put en supporter davantage : il décida de s'arrêter dans une auberge et de s'y reposer un moment. Qui aurait pensé que le clapotis de la pluie se ferait entendre jusqu'au soir ? Ce furent ensuite des cordes qui tombèrent des auvents. La nuit écoulée, les averses redoublèrent de violence. On voyait les passants qui allaient et venaient patauger jusqu'aux mollets. Effrayé par la perspective de pareilles épreuves, il attendit jusqu'à midi. Il commençait à faire plus sec quand de nouveaux nuages noirs rappliquèrent. La pluie reprenant de plus belle, il passa une seconde nuit à l'auberge avant de se décider à repartir. Il n'était plus très loin de la capitale lorsque lui parvint la rumeur que le prix de la toile d'été s'était envolé. Il s'en réjouit fort mais, à son entrée à Pékin, il déchargeait ses bagages dans une auberge quand le patron lui apprit combien son retard était regrettable : peu de temps auparavant, la route du sud venant d'être rouverte, le tissu léger de puéraire était des plus rares. De pressantes demandes émanant de palais de la haute noblesse mandchoue avaient fait flamber les cours, au triple, presque, des prix habituels. Comme ces besoins avaient été couverts l'avant-veille, les retardataires se trouvaient tous désappointés.

C'est ce que l'aubergiste se fit un devoir d'expliquer à Wang, fort marri de son échec. Le jour suivant, de nouveaux arrivages de toile de puéraire firent baisser les prix un peu plus. Wang ne se résignait pas à vendre sans bénéfice. Il s'attarda une dizaine de jours. Quand on lui fit le compte des frais de séjour, ce fut l'accablement. L'aubergiste l'exhortait à vendre à bas prix, quitte à entreprendre autre chose. Il finit par s'incliner et se débarrassa de la totalité des marchandises à perte, soit guère plus de dix taels, le quart du capital investi.

Levé de bonne heure cette fois, il allait faire ses comptes en prévision du départ lorsque, fouillant dans son sac, il s'aperçut que tout l'argent avait disparu. Il l'annonça, atterré, à l'aubergiste qui ne savait que dire. On lui suggéra de porter plainte et de lui en réclamer le dédommagement. Wang se contenta de soupirer : « C'est le destin. Pourquoi en rejeter la faute sur l'aubergiste ? »

Sensible à ce geste, ce dernier lui offrit cinq taels pour le retour et quelques paroles de réconfort. Comment revoir la grand-mère les mains vides ? Wang entrait et sortait, se sentant acculé dans une situation sans issue.

C'est alors qu'il aperçut des coqs combattants : à chaque partie, les enjeux s'élevaient à plusieurs milliers de sapèques. Il en suffisait, en moyenne, d'une centaine pour acquérir un oiseau au marché. L'idée lui vint soudain à l'esprit qu'il avait précisément dans sa bourse de quoi en acheter un lot. Il en parla à l'aubergiste qui l'y encouragea chaudement, lui promettant pour ce faire gîte et nourriture sans même en exiger le prix coûtant.

Tout ragaillardi, Wang partit donc en acheter un plein cageot et retourna en ville. L'aubergiste, non moins heureux de son initiative, le félicita de sa célérité. A la tombée de la nuit, il se mit à pleuvoir à verse jusqu'à l'aube. Le jour se leva sur des carrefours qui ressemblaient à des confluents de torrents. Les gouttes ne paraissaient nullement sur le point de s'arrêter de tomber. Force lui était d'attendre le retour du beau temps. Ce fut un déluge plusieurs jours d'affilée. Il souleva les cages pour examiner leur état : malheur ! Les coqs commençaient à crever. Affolé, Wang ne savait à quel dieu se vouer. Le jour suivant, le nombre d'oiseaux morts avait encore augmenté. Il ne restait plus que quelques coqs qu'il réunit dans une même cage pour les nourrir plus commodément. La nuit passée, lorsqu'il revint les voir, il n'en restait plus qu'un ! Il fit part de la catastrophe à l'aubergiste, sans pouvoir se défendre de verser un flot de larmes. Compatissant, celui-ci l'étreignit avec émotion. Complètement ruiné, sans moyen de rentrer, Wang ne songeait plus qu'à se donner la mort, mais l'aubergiste s'employa à le réconforter et à lui faire reprendre courage. Ils allèrent ensemble examiner le coq survivant.

« C'est un oiseau magnifique, assura l'aubergiste à l'issue d'un examen minutieux, il n'est pas exclu que ce soit lui qui ait tué les autres coqs en vaillant combat. Puisqu'il ne vous reste plus d'autre solution, prenez-le donc en main : s'il est aussi fort que j'ai lieu de le penser, vous pourrez vivre de ses exploits. »

Wang se rangea à ses directives. Quand le coq fut suffisamment entraîné, l'aubergiste le lui fit emmener au coin de la rue pour parier sur la nourriture et la boisson. D'une extrême vaillance, l'oiseau gagnait à chaque fois. Satisfait, l'aubergiste confia de l'argent à Wang pour engager cette fois des paris avec des fils de familles nobles. Le coq remportait toujours la victoire. En six mois, Wang avait réuni vingt taels. Dès lors pleinement réconforté, il tenait à l'oiseau plus qu'à la vie.

Il y avait alors un grand prince de sang, passionné de combats de coqs, qui, chaque année, à la fête de la première pleine lune, ouvrait son palais à tous ceux, dans le peuple, qui voulaient opposer des coqs aux siens.

« La fortune vous attend aujourd'hui : c'est le moment ou jamais de la saisir, dit l'aubergiste à Wang, pourvu que votre heure soit arrivée, sait-on jamais… »

Il lui en expliqua la raison, se proposa de le conduire au palais et, en route, lui fit les recommandations suivantes : « Si l'oiseau est battu, faites-en votre deuil et sortez sans tarder. Il n'a qu'une chance infime de l'emporter mais s'il l'obtient, le prince voudra certainement l'acheter. Refusez. S'il insiste de façon de plus en plus pressante, gardez l'œil sur moi et n'acceptez que lorsque je vous aurai fait un signe d'assentiment.

— Entendu ! »

Arrivés à la résidence princière, ils trouvèrent une foule de propriétaires de coqs qui jouaient des épaules au pied des marches. Un moment plus tard, le prince prenait place dans la salle d'audience.

« Que celui qui souhaite participer au combat monte ! » proclamèrent des officiers de son entourage.

Aussitôt un homme tenant un coq s'empressa d'entrer. Le prince donna l'ordre de lâcher son coq ; l'homme en fit autant. Le coq de ce dernier fut vaincu dès le premier assaut. Le prince partit d'un grand rire.

Ce fut en peu de temps une noria de concurrents qui montaient et redescendaient, dépités.

« C'est le bon moment ! » murmura l'aubergiste qui gravit les marches avec Wang.

Le prince jaugea l'oiseau : « Des yeux marqués des veines de la colère ; plumage solide à ne pas sous-estimer. » Il donna l'ordre de lui opposer Bec-de-Fer. Au second engagement, l'oiseau du prince était hors de combat. Il en choisit un plus puissant qui fut vaincu à son tour. Il en fut de même chaque fois, jusqu'à ce que le prince donnât l'ordre d'aller chercher au palais Coq-de-Jade. On l'amena peu après. L'oiseau avait le plumage blanc de l'aigrette et un port d'une exceptionnelle beauté. Profondément inquiet, Wang s'agenouilla et implora de faire cesser les combats : « Le coq de Votre Altesse est une divine créature. Je crains qu'elle ne détruise mon oiseau et ne ruine mes moyens d'existence.

— Laisse-lui une chance, répliqua le prince avec le sourire, s'il succombe dans ce combat, je saurai te dédommager généreusement. »

Wang lâcha son oiseau. Coq-de-Jade se précipita aussitôt sur lui. L'oiseau de Wang l'attendit, comme un coq excité, tapi au sol. Puis, pour échapper aux coups du bec redoutable de Coq-de-Jade, il s'éleva en voltigeant à la façon de la grue avant l'attaque, avançant, reculant, montant, ne descendant aux prises avec son adversaire qu'à de brefs moments. Coq-de-Jade commença à faiblir, tandis que l'ardeur et la combativité de l'oiseau de Wang allaient en croissant. Son plumage de neige froissé, les ailes pendantes, Coq-de-Jade ne tarda pas à rompre le combat et à prendre la fuite.

Pas un des milliers de spectateurs qui ne retînt un soupir d'admiration. Le prince fit chercher l'oiseau, le prit personnellement dans ses mains et l'examina soigneusement du bec aux griffes. Il se tourna vers Wang : « Le coq est-il négociable ?

— Je ne peux compter sur des ressources régulières ; c'est de cet oiseau que je dépends pour vivre : je ne veux pas le vendre.

— Je t'en offrirai un bon prix, le revenu d'un propriétaire foncier, cent taels. Y consens-tu ? »

Après un long moment de réflexion, tête baissée, Wang répondit : « A vrai dire, je n'ai nulle envie de m'en séparer, mais je vois combien Votre Altesse y tient. Que puis-je demander d'autre si ce n'est de quoi me nourrir et m'habiller ? »

Comme le prince le priait de préciser ce que cela représentait, il lâcha : « Mille taels.

— Tu es fou ! rétorqua le prince en riant, mille taels ! Est-ce donc là un trésor si précieux ?

— Ce n'est peut-être pas un trésor aux yeux de Votre Altesse, mais aux miens, le jade échangé contre quinze places fortes ne le vaudrait pas.

— Comment cela ?

— Je l'emmène au marché et en tire jour après jour plusieurs taels, de quoi se procurer un boisseau de grains quotidien, écarter d'une famille plus nombreuse que les dix doigts de la main tout souci de souffrir de la faim ou du froid. Il n'est de trésor qui saurait lui être comparé.

— Je ne te ferai pas de tort : je t'en donne deux cents taels. »

Wang secouait la tête. Le prince proposa cent taels de plus. Wang chercha des yeux l'aubergiste dont le visage restait impassible, et répondit : « Je suis aux ordres de Votre Altesse, prêt à réduire mon offre de cent.

— Hors de question. Qui consentirait à donner neuf cents taels en échange d'un coq ! »

Wang remballa l'oiseau et s'apprêtait à partir. Le prince le rappela : « Reviens ! Holà, l'homme au coq ! Sérieusement : je t'en offre six cents. Vends si tu veux ; sinon, restons-en là ! »

Wang regarda l'aubergiste qui gardait un air parfaitement détaché. Finalement, poussé par le désir de conclure et la crainte de laisser passer une si belle occasion, il capitula : « Vendre à ce chiffre me laisse à vrai dire bien insatisfait, mais je me sentirais encore plus fautif de n'avoir conclu de transaction avec Votre Altesse. Ainsi soit-il, je suis à vos ordres. »

Ravi, le prince lui fit peser et remettre les six cents onces d'argent, que Wang mit dans son sac avant de remercier et de sortir.

« Ne te l'avais-je pas dit ? grommelait l'aubergiste, étais-tu si pressé de vendre ? Il aurait suffi de le tenir serré un moment de plus et tu en aurais eu huit cents ! »

Rentré à l'auberge, Wang jeta l'argent sur la table et invita l'aubergiste à se servir. Celui-ci refusa et ce n'est que sur la vive insistance de Wang qu'il consentit à calculer les frais de nourriture de son hôte, ne voulant rien prélever de plus.

Wang fit ses bagages et retourna chez lui. Arrivé dans sa famille, il raconta ses aventures et, fêté de tous, étala l'argent qu'il avait gagné. Avec cette somme, la grand-mère lui fit acquérir trois cents *mu* de bonnes terres, y construire une résidence et l'aménager, bref de quoi mener un train de vie de famille noble. Levée tôt, la grand-mère faisait surveiller les labours par son petit-fils et le tissage par sa femme ; elle le tançait à la moindre négligence. Le couple avait retrouvé la paix et se gardait de toute parole empreinte de ressentiment. Trois années s'étaient écoulées dans une prospérité croissante lorsque la grand-mère fit ses adieux et se disposa à partir. Elle y renonça toutefois devant l'insistance du couple en larmes. Mais quand ils passèrent la voir le lendemain au point du jour, elle avait disparu.

Le chroniqueur de l'étrange ajoute :

Richesses ne s'acquièrent que par diligence et travail, sauf exception, comme ici, où elles procèdent de la paresse et du désœuvrement.

Par ailleurs, il faut prendre en considération le fait qu'il a su rester de bonne humeur bien que transi de misère jusqu'aux os. C'est là, précisément, la raison pour laquelle le Ciel l'a d'abord abandonné et ensuite pris en compassion.

Ce n'est évidemment pas de la paresse que procèdent honneurs et richesses !

Pu Songling, *Chroniques de l'étrange.*

Le signe du Coq dans le zodiaque chinois

Principes du zodiaque chinois

De nos jours, la plupart des Occidentaux sont familiarisés avec les douze signes du zodiaque chinois. Ils savent que chacun d'eux gouverne une année lunaire et confère ses caractéristiques particulières à la personnalité de l'individu né au cours de cette période. Ce que l'on sait moins cependant, c'est que la désignation des douze signes par des noms d'animaux est plus récente que l'astrologie chinoise elle-même, dont l'origine remonte à 4692 ans. En effet, comme le veut la légende, le seigneur Bouddha aurait assigné une année lunaire à chacun des animaux venus lui rendre hommage au moment de mettre fin à son séjour terrestre.

Auparavant, l'étude des horoscopes chinois se fondait sur la théorie des douze rameaux terrestres dans leur relation avec les douze années du cycle lunaire. Avant que chaque année se voie attribuer un nom d'animal, celui de son rameau terrestre était sa seule dénomination.

Par exemple, si je me contentais de vous dire que vous êtes Dragon, vous ne sauriez pas d'emblée que le Dragon désigne en réalité le cinquième rameau terrestre, dont le nom chinois est *Chen.* En astrologie et en numérologie chinoises, la position et le rang de chaque rameau ont beaucoup d'importance ; tant dans les almanachs agricoles chinois que dans les traités d'astrologie, les signes lunaires sont désignés par les rameaux correspondants et non pas par les sympathiques et mythiques animaux qui leur sont associés.

Les appellations des signes du zodiaque chinois peuvent varier d'un livre à l'autre, sans pourtant modifier, de quelque façon que ce soit, les caractéristiques de ces signes. Ainsi, dans certains ouvrages, le Bœuf porte les noms de Buffle ou de Taureau; le Lièvre, ceux de Lapin ou de Chat; le Mouton, celui de Chèvre, et le Sanglier, celui de Cochon.

Dixième rameau terrestre
Le Coq

ANNÉES LUNAIRES DU COQ		
22 janvier 1909	au	9 février 1910
8 février 1921	au	27 février 1922
26 janvier 1933	au	13 février 1934
13 février 1945	au	1er février 1946
31 janvier 1957	au	17 février 1958
17 février 1969	au	5 février 1970
5 février 1981	au	24 janvier 1982
23 janvier 1993	au	9 février 1994
9 février 2005	au	28 janvier 2006

Le dixième rameau terrestre est celui du Coq, dont le nom chinois, *You*, symbolise la minutie et le perfectionnisme. Le Coq, ou rameau You, voit son univers comme un mécanisme bien huilé, à la perfection horlogère : chaque chose occupe la place qu'il lui a assignée. L'ordre règne. Bien entendu, le Coq vigilant assure à son milieu un climat d'efficacité. Il ne perd pas son temps en futilités. Le Coq consciencieux et diligent à l'extrême excelle dans les activités mentales. En dépit de sa souplesse, il adhère à des principes fondés et tolère mal les changements ou les écarts, même s'ils pourraient faciliter ou accélérer son travail. Méticuleux jusqu'à l'obsession, le Coq est un as dans l'art de couper les cheveux en quatre.

Ne perdez pas votre temps à tenter de le froisser : le Coq cultive une éblouissante image de soi. Il jugera vos critiques ridicules et les rejettera avec sarcasme. Son sens du devoir est tel qu'il doit absolument détenir le pouvoir pour demeurer efficace. Peu importe l'insignifiance de sa tâche, il l'assumera admirablement. Le Coq ne prend jamais ses responsabilités à la légère. Bien au contraire, il aurait plutôt tendance à les magnifier. Quiconque cherchera à le supplanter ne parviendra qu'à le blesser dans sa fierté. Sûr de lui et indomptable devant l'adversité, le signe gouverné par le dixième rameau est réputé pour son dévouement et son respect des règlements. Il attend de tous la même discipline personnelle. Le Coq ne comprend ni ne tolère la contradiction, encore moins les infractions aux lois – manquements qu'il pardonne difficilement. A vrai dire, il est enclin à compliquer les choses les plus simples à force d'analyse et d'excès de zèle.

Le Coq possède un talent indéniable pour l'organisation ainsi que des dons précoces en matière fiscale. Il pratique ce qu'il prêche. Sa grande capacité de concentration et sa persévérance le rendent dur à la tâche. Autonome, il vérifie et contre-vérifie par lui-même toutes les données dont il dispose avant de prendre une décision. Il devrait apprendre à cultiver le tact et la discrétion, vertus qu'il estime superflues, car il a son franc-parler et juge important de toujours aller droit au fait. Il a de si belles qualités, pourquoi vouloir en plus qu'il soit diplomate? Alerte, direct et soucieux d'exactitude, il vous soulignera vos manquements avec précision et rédigera un rapport de dix pages dans le but de vous suggérer des moyens d'améliorer votre productivité. Si vous contestez son point de vue, il ne comprendra pas pourquoi vous vous attendiez à ce qu'il enrobe ses propos de sucre. Ce signe n'éprouve aucune difficulté à s'exprimer; il ne laissera pas passer une occasion de relater ses réalisations et ses nombreux triomphes.

Au fond, le Coq est un être sincère et obligeant qui adore se porter au secours des autres. Si vous acceptez qu'il vous répète à satiété « je vous avais prévenu », son expérience vous deviendra indispensable. Ce que d'aucuns considèrent ennuyeux ne le rebute nullement. Il ne rechigne ni à la routine ni aux tâches laborieuses telles que la préparation des budgets, la comptabilité courante, la correction de textes et d'épreuves d'imprimerie. Il occupe le troisième rang du deuxième Triangle des affinités, celui des signes de pondération. Tout comme les deux autres rameaux qui l'accompagnent, soit le Bœuf (deuxième rameau) et le Serpent (sixième rameau), le Coq est un introverti qui cherche en lui-même les solutions à ses problèmes. Doté d'une grande intelligence analytique, il possède un esprit logique et clair. Les imperfections, même minimes, l'agacent au plus haut point. Il n'aura de cesse qu'il ne corrige cette minuscule erreur que personne n'avait remarquée avant lui. Il peut se montrer tatillon à l'extrême, surtout lorsqu'on bouleverse ses habitudes ou son emploi du temps. En revanche, il n'est pas imprévisible : chaque chose à son heure et pas de raccourcis. Cet excentrique ne craint jamais de soulever des controverses afin de rétablir l'ordre. Quand il est au meilleur de sa forme, on peut compter sur lui, sur son sens de l'organisation et sur son ardeur au travail. Il offre volontiers son aide et assume sans rechigner plus que sa part de responsabilités. Son énergie n'a pas d'égale. Il n'hésitera pas à vous prendre sous son aile avec ou sans votre consentement si votre bien-être lui tient à cœur. Il veille autant sur ses êtres chers que sur ses intérêts. Le Coq analyse tous les aspects d'une situation et ne laisse jamais rien au hasard.

Téméraire, perspicace et courageux, le Coq, ou rameau You, fait preuve d'une prévoyance très particulière. Un célèbre natif de ce signe a dit un jour ressembler à un oiseau perché sur la tête d'un géant. Si grand que soit le géant, l'oiseau, de par sa position avantageuse, voit plus loin que lui. Ne sous-estimez jamais le talent du Coq : rien n'échappe à sa vigilance. Tôt ou tard, il effectuera un inventaire et découvrira une erreur. Les meilleurs comptables, les spécialistes de la productivité, les scientifiques, les stratèges, les cracks de l'informatique et les correcteurs d'épreuves appartiennent souvent à ce signe. Chevaleresque et généreux, le Coq vous prodiguera volontiers des conseils, que vous le vouliez ou non. Il fait parfois preuve d'une ambition démesurée et d'un héroïsme périlleux. Egocentrique et animé d'une foi inébranlable en lui-même, il favorise la théorie au détriment de la pratique, si bien qu'il s'embourbe parfois dans des vétilles après avoir résolu brillamment un problème mathématique complexe. Son souci de la perfection joue souvent contre lui, car il observe tout au microscope et voit des problèmes là où il n'y en a pas.

En dépit de son ingérence et de ses remises en question, le Coq adhère à ses convictions et ne perd jamais son objectif de vue. Dès qu'il a concentré toute son attention sur sa cible, il ne déviera pas de son chemin et ne se laissera jamais distraire. Ses soupçons sont souvent fondés et les données de sa recherche sont impeccables. Précis et honnête, ce didacticien a des opinions sur tout. Il planifie son temps et sa vie avec minutie, car le Coq ne tolère ni la paresse ni l'inconstance. Sa bonne volonté fait de lui un être enclin à porter attention aux menus détails et à réussir dans des domaines qui laissent les autres indifférents. Grâce à son civisme, il se portera volontaire pour des tâches dont personne ne veut. Il reconstruira petit à petit un projet grandiose que d'autres jugent impossible à réaliser. De nombreux industriels et entrepreneurs appartiennent au rameau You en raison de leur aptitude à isoler les composantes d'un projet puis à ériger un conglomérat morceau par morceau, en en reliant tous les points entre eux et en supervisant chaque étape du projet.

Mis au défi, le Coq, ou rameau You, devient âpre, dominateur et prétentieux. Il s'inquiète peu des sentiments d'autrui sans que ce soit toujours délibéré. Compétent et compétitif, le Coq est impatient et ne pardonne pas à ceux que n'anime pas le même souci de perfection, c'est-à-dire à peu près tout le monde. Il croit fermement appartenir à une catégorie à part, si bien qu'il est préférable de ne pas le prendre trop au sérieux quand il se vante et brandit ses médailles et ses décorations. Par cet inoffensif besoin d'attention et de reconnaissance, il se place à l'avant-plan, mais il ne permettra jamais à sa folie des grandeurs de le distraire de ses responsabilités. Il possède un sens aigu des proportions.

Rarement sujet au doute ou à l'insécurité, le natif du dixième rameau est un fervent de la pensée positive. Il ne tergiverse pas, ne réclame ni votre accord ni votre vote de confiance. Ses principes et sa connaissance des faits lui suffisent amplement. Lorsqu'on lui confie une tâche, il est le plus obéissant des subalternes. Ce type voue une profonde admiration aux individus doués de grandes qualités de chef. A ses yeux, qui détient le contrôle et la richesse détient aussi le pouvoir. Le Coq comprend d'emblée la notion de discipline. Toute atteinte à l'ordre hiérarchique est pour lui synonyme d'échec et de perte d'autorité. Le Coq ne supporte pas le chaos. Quiconque désire œuvrer aux côtés du Coq doit s'engager pleinement, car si vous n'êtes pas avec lui à cent pour cent, il en conclura que vous êtes contre lui. Sa nature exigeante limite le nombre de ses amis, mais ceux qu'il possède lui témoignent une grande loyauté et répondent à ses rigoureuses attentes. Il ne tente jamais de justifier sa personnalité ou ses convictions, si bien qu'on peut aisément dans son cas se fier aux apparences.

Pour bien s'entendre avec le Coq, on doit accepter qu'il ne suffit pas de le connaître pour l'aimer. Mais il n'est pas nécessaire de l'aimer pour apprécier son talent et ses réalisations. Il sait s'acquitter rapidement et efficacement de ses tâches tout en demeurant sur son quant-à-soi. Il est tout à fait objectif; sa compétence ne repose pas sur des liens d'intimité. Il opte de préférence pour le détachement et le professionnalisme, ce qui lui permet de prendre ses distances sitôt le travail achevé. Il ne requiert que votre confiance, votre collaboration et votre respect. Evitez d'user avec lui de familiarités sans qu'il vous y invite. Son succès dépend de son dévouement, de sa diligence et de sa ténacité. Lorsqu'il aspire au pouvoir, il se hisse jusqu'au sommet pour y construire sa niche. Bien entendu, la solitude le guette, mais de là, il jouit d'une vue imprenable. Ne le prenez pas en pitié. Il n'a nullement besoin de votre sympathie.

Capricieux, intraitable et courageusement arrogant, le Coq s'entend bien avec ceux qui posent sur le monde un regard analytique. Ses meilleurs associés sont le Bœuf du deuxième rameau et le Serpent du sixième rameau. L'entente est aussi très bonne avec les signes d'action que sont le Rat du premier rameau, le Dragon du cinquième rameau et le Singe du neuvième rameau. Partout où préside le Coq règnent la discussion, les débats, la sémantique et la logique, mais les signes d'action parviennent à collaborer avec lui sans perdre leurs objectifs de vue. Les signes de protection, soit le Tigre du troisième rameau, le Cheval du septième rameau et le Chien du onzième rameau, sont à l'aise avec l'attitude excentrique et l'esprit critique du rameau You et l'acceptent tel qu'il est, car ils voient au-delà de l'impertinence qu'il projette et peuvent apprécier ses talents réels et l'importance de sa contribution. Le Coq connaîtra ses pires conflits avec le Lièvre du quatrième rameau. Les relations du Coq avec les autres occupants du triangle auquel appartient le Lièvre seront froides et tendues en raison de son souci de précision et de son perfectionnisme. Le Lièvre, le Mouton et le Sanglier s'intéressent moins au message lui-même qu'à la façon dont on le leur transmet. Le Lièvre s'exprime posément et avec courtoisie, mais il n'en fait pas moins preuve d'intransigeance. Quant au Coq, il projette une image tyrannique et caustique en dépit de ses bonnes intentions et de sa sincérité. Il adopte souvent un ton belliqueux et dogmatique qui irrite le Lièvre et incite ce dernier à rejeter ses excellentes suggestions.

Le rameau You n'éprouve aucune difficulté à émettre une opinion. Il sait énoncer clairement ses idées et son point de vue. Mais le Coq gagnerait à cultiver sa faculté d'écoute et à dominer son penchant pour la critique. S'il acceptait de comprendre qu'il ne lui est pas indispensable d'apprécier ou d'approuver les membres de son entourage, mais seulement de les accepter tels qu'ils sont avec tous leurs défauts, s'il résistait à l'envie de les parfaire et n'exigeait pas d'eux une discipline militaire, ils toléreraient plus facilement ses singularités et sa pédanterie.

D'un point de vue positif, le Coq ambitieux n'est jamais ambivalent. Il aime ou il déteste, il veut ou ne veut pas. Demandez-lui ce qu'il désire recevoir pour étrennes ou en cadeau d'anniversaire et il vous tendra aussitôt une liste de ses préférences. Il vous dira ensuite où vous pourrez vous procurer tel ou tel article à rabais (il déteste payer le plein prix), la taille qui lui convient et sa couleur préférée.

Pour être au meilleur de sa forme, le Coq doit s'entourer de personnes aussi dévouées que lui afin de faire front commun et de concentrer leur énergie à la manière d'un rayon laser sur un objectif unique. S'il existe au monde une personne capable de transformer ses rêves en réalité, c'est bien le dynamique Coq.

Administrateur du cycle, le Coq, ou rameau You, adhère à cette maxime : « Je calcule ».

Achevé d'imprimer en novembre 2004

BUSSIÈRE

GROUPE CPI

à Saint-Amand-Montrond (Cher)

N° d'impression : 45337.
Dépôt légal : décembre 2004.